手から、手へ

詩　池井昌樹
写真　植田正治
企画と構成　山本純司

集英社

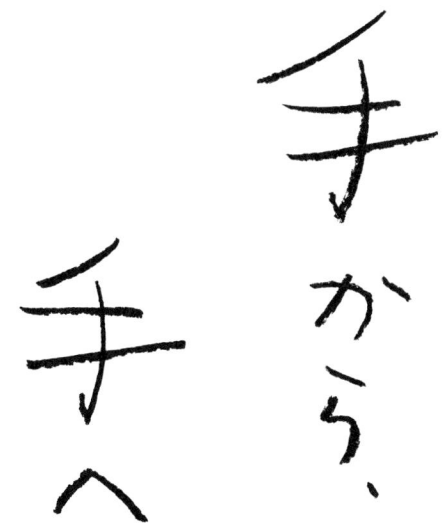

やさしいちちと
やさしいははとのあいだにうまれた
おまえたちは
やさしい子だから
おまえたちは
不幸《ふこう》な生《せい》をあゆむのだろう

やさしいちちと
やさしいははから
やさしさだけをてわたされ
とまどいながら
石ころだらけな
けわしい道をあゆむのだろう

どんなにやさしいちちははも
おまえたちとは一緒《いっしょ》に行けない
どこかへ
やがてはかえるのだから

やがてはかえってしまうのだから
たすけてやれない
なにひとつ
たすけてやれない

そこからは
たったひとり

まだあどけないいえがおにむかって
やさしいちちと
やさしいははとは
うちあけようもないのだけれど

いまはにおやかなその頰《ほお》が瘦《こ》け
その澄《す》んだ瞳《め》の凍《こお》りつく日がおとずれても
怯《ひる》んではならぬ
憎《にく》んではならぬ
悔《く》いてはならぬ

やさしい子らよ
おぼえておおき
やさしさは
このちちよりも
このははよりもとおくから
受《う》け継《つ》がれてきた
ちまみれなばとんなのだから
てわたすときがくるまでは
けっしててばなしてはならぬ

まだあどけないいえがおにむかって
うちあけようもないのだけれど
やさしいちちと
やさしいははとがちをわけた
やさしい子らよ
おぼえておおき

やさしさを捨《す》てたくなったり
どこかへ置《お》いて行きたくなったり
またそうしなければあゆめないほど
そのやさしさがおもたくなったら
そのやさしさがくるしくなったら

そんなときには
ひかりのほうをむいていいよ
いないいないばあ

おまえたちを
こころゆくまでえがおでいさせた
ひかりのほうをむいていいよ

このちちよりも
このははよりもとおくから
射《さ》し込《こ》んでくる
一条《いちじょう》の
ひかりから眼《め》をそむけずにいよ

あとがき

はじめは耳から入ってきた。

二〇〇九年六月、雑誌「現代詩手帖」創刊五十周年祭の会場である。二十六人の詩人が大集合した。ぼくは、現代詩手帖の読者ではないが、新聞で開催を知って出かけた。はじめに谷川俊太郎さんと賢作さんの親子がステージに立った。自作を朗読し、歌い、おしゃべりをした。その中で、他人の作品を朗読するのは緊張する、と谷川さんが言い、それは音楽の世界ではカバーと言う、と賢作さんが受けて、谷川さんの朗読が始まった。

ぼくには切れ切れにしか聴き取れなかったが、ただならぬものを感じた。詩の調べと言葉の断片が、体にまとわりついて離れなかった。まだ見ぬものに、人にとって大切なものに、出会ったに違いない。他の人の反応が気になって、会場を見回す。変わった様子はなかった。


週末のイベントだったので、週が明けるのを待ちかねて、現代詩手帖に問合せの電話を入れる。詩人、池井昌樹さんの作品「手から、手へ」だと判る。

詩集を購入して読む。これは絵本になる。絵は植田正治さんの家族の写真だ、と同時に思う。絵本にしようと決意する。アイディアはいつもこんな風にひらめく。植田さんの写真集を買い集める。詩「手から、手へ」を持ち歩いて、繰り返し読む。知人にも読んでもらう。また、あたりが気になった。同じようなことを考えている人が、きっといる。詩人を訪ねた。この時絵本はまだ一ページも出来ていない。雲をつかむような話だったのに、承諾してくれた。絵本の制作に関してはすべてお任せする、いっさい口を挟まない、であった。

絵本『手から、手へ』の試作品が完成したのは、二〇一一年十月。二年五か月を要した。試作品は、スケッチブックに詩と写真のコピーを貼った、鋏と糊で作ったものである。

詩「手から、手へ」を縦糸に、植田正治の写真を横糸に布を織るように本を作る。この絵本は、見開き単位で展開する。詩を段落に分け、見開きの右ページに、詩の段落を順番に置いてゆく。左ページには、詩の言葉に一致する植田の写真を置く。写真集を何冊もひっくり返し、適切な写真を探し出す。簡単に見つかるものではないが、苦労した時ほど、見つけた時の喜びは大きい。

池井と植田では、生きている時代も、生きていた時代も、生活の場所も、扱う芸術のジャンルも異なるが、ときどき視線が交わる。

試作品を持って、植田正治事務所の増谷寛さんを訪ねた。読んでもらい、使用許諾を得た。注文は何もなかった。ありがとうございます、と応えた。

試作品という山出しのものを、本に仕立て上げなければならない。その任を、今回も佐藤卓さんにお願いした。デザイン担当は日下部昌子さん。素晴らしい手際で、本の可能性を最大限に引き出してくれた。

制作の途中で、ぼくは出版社を定年退職した。本を出版してもらう、版元探しという大仕事があった。人に出し抜かれまいと注意しながら進めてきたが、いざ版元に企画を持ち込んでみると、反応はまったく芳しくなかった。そういうもんだが、連戦連敗。拾ってくれたのは、ぼくが居た会社、集英社だった。ぼくにとって、第二の故郷であり、多くのことを学んだ母校のようなところから、出る。気心の知れた人たちと、一緒に本を作る。ありがとうございます。

はじめに池井さんの詩「手から、手へ」があった。すべてが詩から始まった。詩が植田写真の真実を教えてくれた。そうして、本が出来上がった。

池井さんと会うときは、酒場である。仕事の話は簡単に済んでしまう。この詩が特別だと言うことはない。作ってきた詩は、みんな、ぼくの子供。同じだね。でも、この詩は書くぞと思って、こちらから書いたのではなく、向うから書かされた。やってきた。でもね、それ以来ぼくは書かされ続けている。

彼は焼酎を生で飲む。氷水を添える。気が付かないうちに何杯も飲んでいる。会話は弾まないがそれでいい。ゆったりとした時間を過ごす。夜が更けないうちに、そろそろ、と言うと、また飲みましょう、が必ずあって、腰を上げる。

二〇一二年八月三〇日

山本純司

池井昌樹

一九五三年香川県生まれ。七七年、第一詩集『理科系の路地まで』を刊行。以来十六冊の単行詩集のほか、選詩集『現代詩文庫　池井昌樹詩集』がある。詩集『晴夜』にて藤村記念歴程賞、芸術選奨文部大臣新人賞(九七年)を受賞。九九年『月下の一群』で現代詩花椿賞、二〇〇七年『童子』で詩歌文学館賞、二〇〇九年『眠れる旅人』で三好達治賞を受賞した。

植田正治

一九一三―二〇〇〇年。鳥取県生まれ。中学三年生で初めてのカメラを手にして以来写真の道にのめりこみ、一九歳で郷里に写真館を開業。同時にカメラ雑誌の月例応募で入選を繰り返して頭角を現す。近所の砂浜や鳥取砂丘を舞台にした独自の演出写真は、時空を超えた不思議な空間として、現在も世界の人々を魅了し、作品の多くは鳥取県伯耆町にある「植田正治写真美術館」に収蔵されている。

山本純司

一九五〇年東京都生まれ。七三年集英社に入社。雑誌りぼんで漫画スクールを担当。さくらももこ、矢沢あい、岡田あ～みん他を世に送り出す。満点ゲットシリーズを企画編集。『ここが家だ―ベン・シャーンの第五福竜丸』(二〇〇七年、日本絵本賞受賞)を企画編集。『ひろしま』(二〇〇八年、毎日芸術賞受賞)を企画編集。二〇一一年集英社を定年退職。

手《て》から、手《て》へ

二〇一二年一〇月一〇日　第一刷発行
二〇二五年　七月一六日　第一一刷発行

詩　池井《いけい》昌樹《まさき》
写真　植田《うえだ》正治《しょうじ》
企画と構成　山本《やまもと》純司《じゅんじ》
アートディレクション　佐藤卓
デザイン　日下部昌子
題字　山本純司

発行者　樋口尚也
発行所　株式会社集英社
東京都千代田区一ツ橋二ー五ー一〇　〒一〇一ー八〇五〇
電話　〇三ー三二三〇ー六一〇〇（編集部）
〇三ー三二三〇ー六三九三（販売部）書店専用
〇三ー三二三〇ー六〇八〇（読者係）
印刷所　株式会社DNP出版プロダクツ
（プリンティング・ディレクター　吉崎典一）
製本所　加藤製本株式会社
定価はカバーに表示してあります。

ISBN978-4-08-771474-6 C0092